BIRDS OF A FEATHER

AVES DEL MISMO PLUMAJE

WRITTEN BY
ESCRITO POR
Sita Singh

ILLUSTRATED BY
ILUSTRADO POR
Stephanie Fizer Coleman

TRANSLATED BY
TRADUCIDO POR
Adriana Domínguez

PHILOMEL BOOKS

PHILOMEL BOOKS
An imprint of Penguin Random House LLC, New York

First published in the United States of America by Philomel,
an imprint of Penguin Random House LLC, 2021.

Visit us online at penguinrandomhouse.com.

Library of Congress Cataloging-in-Publication Data is available.

Manufactured in China

ISBN 9780593116449 (hardcover)

Special Markets ISBN 9780593527375

Not for resale

10 9 8 7 6 5 4 3 2 1
RRD

Edited by Liza Kaplan.
Design by Monique Sterling.
Text set in Carniola.

Artwork created digitally in Adobe Photoshop with
traditionally painted gouache and watercolor textures.

This Imagination Library edition is published by Penguin Young Readers, a division of Penguin Random House, exclusively for Dolly Parton's Imagination Library, a not-for-profit program designed to inspire a love of reading and learning, sponsored in part by The Dollywood Foundation. Penguin's trade editions of this work are available wherever books are sold.

To my parents, Kokila & Navnit, for their blessings and encouragement —S.S.

For Seth, always —S.F.C.

Para mis padres, Kokila y Navnit, por sus bendiciones y por su apoyo —S.S.

Para Seth, siempre —S.F.C.

One spring morning, the Himalayan jungle welcomed a new generation of peachicks, including one named Mo.

Each one was covered in a coat of yellow or brown feathers.

Mo and his friends roosted high and low, caught ticks and termites, and screeched loud into the night.

Mo loved to roost, hunt, and screech. But what he loved most of all was playing hide-and-seek.

Una mañana de primavera, la selva del Himalaya dio la bienvenida a una nueva generación de polluelos de pavo real, incluyendo a uno llamado Mo.

Todos nacieron cubiertos de un plumaje amarillo y café.

Mo y sus amigos se posaban a lo alto y a lo bajo, capturaban garrapatas y termitas, y chillaban fuertemente durante la noche.

A Mo le encantaba posarse, capturar insectos y chillar.
Pero lo que más le gustaba era jugar al escondite.

By the second summer, each peachick donned a crest. They grew flight feathers. Tail feathers.

FLUFF FLUFF FLUFF!

Some had short tails. Some had long.

All the long-tailed peachicks turned into peacocks with bright, bold, beautiful colors.

All except Mo. Mo looked different.

From the top of his crest to the tip of his tail, his feathers shone white.

Mo didn't mind. The peacocks still did everything together.

Cuando llegó el segundo verano, a los polluelos les creció la cresta. Les crecieron las plumas de vuelo y las de la cola.

¡PLUMAS, PLUMAS Y MÁS PLUMAS!

Algunos tenían colas cortas. Otros las tenían largas.

Todos los polluelos de cola larga se convirtieron en pavos reales de colores brillantes, llamativos y hermosos.

Todos menos Mo. Mo tenía un aspecto diferente.

Desde lo más alto de la cresta a la punta de la cola, su plumaje era de un blanco radiante.

A Mo no le importaba. Los pavos reales continuaban haciendo todo juntos.

But as time went on . . .
hide-and-seek wasn't quite as fun as it used to be.

Mo couldn't hide like the others.

Pero con el paso del tiempo . . .
Jugar al escondite dejó de ser tan divertido
como antes.

Mo no podía esconderse como los otros.

He didn't have bright, bold, beautiful feathers.

Mo looked different. And he began to feel different, too.

No tenía el mismo brillante, llamativo y hermoso plumaje.

Mo lucía diferente. Y empezó a sentirse diferente también.

But his friends did what friends do—

Sus amigos hicieron lo que los amigos siempre hacen:

Mo shook off his worries.

He was glad to belong to such a great group of peacocks.

Mo se sacudió las preocupaciones.

Se sentía feliz de pertenecer a un grupo de pavos reales tan amistosos.

Soon, the jungle announced its biggest day—

Pronto, la selva anunció la llegada de su día más importante:

THE ANNUAL
DANCE in the RAIN
DANZA ANUAL de la LLUVIA

The young peacocks couldn't wait to show off.
First rain! First dance!

Los jóvenes pavos reales tenían muchas ganas de ostentar.
¡Su primera lluvia! ¡Su primera danza!

They flocked to the Color Salon.
They flew to the Bird Boutique.

Fueron en bandada al salón
de tintes.
Salieron volando a hacer compras.

COLOR SALON
SALÓN de TINTES

BRIGHTEN your BLUES
ILUMINA tus AZULES

RICHEN your REDS
ENRIQUECE tus ROJOS

All the peacocks pranced.
They admired themselves.

All except Mo.

Todos los pavos pavonearon.
Se admiraron a sí mismos.

Todos menos Mo.

Even with a fluff
and a trim, Mo's feathers
were no match for the others.

Mo looked different. Mo felt different.
And now he also felt alone.

Aún después de mullirse y recortarse, el plumaje de
Mo no se podía comparar con el de los demás.

Mo lucía diferente. Mo se sentía diferente.
Y ahora también se sentía solo.

But his friends did what friends do—

Sus amigos hicieron lo que los amigos siempre hacen:

"Neck tight! Feathers loose!
Spread your tail!"

**S-T-R-E-T-C-H! S-T-R-E-T-C-H!
S-T-R-E-T-C-H!**

"¡Cuellos tensos, plumas flojas!
¡Abaniquen las colas!"

**¡ESS-TIII-REN-SEN! ¡ESS-TIII-REN-SEN!
¡ESS-TIII-REN-SEN!**

Feathers swung open.

The peacocks strutted. They swayed.
Colors swirled all around.

Mo's friends shouted, **GO, MO, GO!**

But all he heard was, **NO, MO, NO!**

Los plumajes se abanicaron.

Los pavos pavonearon. Se balancearon.
Los colores se arremolinaron todo al alrededor.

Los amigos de Mo chillaron, **¡MO! ¡MO! ¡MO!**

Pero todo lo que él oyó fue, **¡NO, MO, NO!**

However hard Mo tried, he only saw what he didn't have—bright, bold, beautiful feathers.

Mo looked different. Mo felt different.
He felt alone. And now he was sad, too.

A pesar de sus esfuerzos, todo lo que Mo notaba era lo que le faltaba: un plumaje brillante, llamativo y hermoso.

Mo lucía diferente. Mo se sentía diferente. Se sentía solo.
Y ahora también se sentía triste.

On the big night, everyone gathered to welcome the first rain.
Everyone except Mo. Mo watched from a place in the trees.

Soon, black clouds took over the sky and raindrops hit the ground.
The peacocks were ready for their dance, but there was just one problem—

Cuando finalmente llegó la noche del baile, todos se reunieron para recibir la primera lluvia. Todos menos Mo. Mo decidió observar desde los árboles.

Pronto, nubarrones se apoderaron del cielo y las gotas de lluvia comenzaron a caer. Los pavos reales estaban listos para bailar, pero había un problema:

It was too dark to see.

The peacocks bumped into one another.
They stepped on one another's trains.

La oscuridad no les permitía ver nada.

Los pavos comenzaron a chocarse
los unos contra los otros.
Se pisaban las colas entre sí.

Their feathers rumpled and ruffled.
Everyone was in a fowl mood.

Los plumajes se arrugaron y se encresparon.
Reinó el mal humor.

Then thunder crashed and lightning flashed.

Suddenly, Mo noticed a bright and brilliant glow.
He straightened his slouch and loosened his wings.

He looked all around until he realized—
the glow was coming from him!

Comenzó a tronar y relampaguear.

De pronto, Mo notó algo brillante que irradiaba luz.
Enderezó el cuerpo y abrió las plumas.

Miró a su alrededor hasta que se dio cuenta:
¡El resplandor venía de él!

Right away, Mo took flight.
In a swoop, he lit up the ground.

Sin pensarlo dos veces, Mo alzó el vuelo.
Bajó en picada e iluminó el suelo.

Yes, Mo was different. But now Mo saw what he'd had all along—
bright, bold, beautiful feathers. And his crest felt like a crown.

Sí, Mo era diferente. Pero ahora se daba cuenta de lo que había tenido
desde el principio: un plumaje brillante, llamativo y hermoso.
Su cresta le parecía una corona real.

As lightning flashed, the hip-hoppers croaked, “He glows like the snow!”

The belly dancers trumpeted, “He’s as bright as a lotus!”

The rock & rollers roared, “But we still can’t see!”

Entre relampagueos, los bailarines saltarines croaron: “¡Brilla como la nieve!”

Los barrigudos barritaron: “¡Resplandece como una flor de loto!”

Finalmente, los melenudos rugieron: “¡Pero aún no podemos ver!”

Mo knew just what to do.

He stood tall. He strutted and swayed.

Then he fluttered his feathers and swung them open.

Mo sabía lo que debía hacer.

Se enderezó, pavoneó y se balanceó.

Luego aleteó y abanicó su plumaje.

As Mo danced, light flickered! It flashed! The jungle glowed bright.
At last everyone could see!

A medida que Mo bailaba—¡la luz titilaba y destellaba!
La selva entera resplandecía. Y al fin, ¡todos podían ver!

The peacocks fanned their feathers and danced together.
Sounds of celebration echoed throughout the jungle.

Los pavos reales abanicaron sus plumajes y bailaron juntos.
Los sonidos de la celebración hacían eco por toda la selva.

Mo smiled. He flaunted his plume as wide as he could. On and on, he danced. On and on, Mo called to the sky.

Mo sonrió. Ostentó su plumaje lo más ampliamente que pudo. Bailó y continuó bailando. Chillando hacia el cielo sin parar.

T-E-H-U-N-K

T-E-H-U-N-K

T-E-H-
U-N-K

That night, the rains didn't stop. Neither did Mo.

And when his friends shouted again, he heard them loud and clear.

Esa noche, la lluvia no paró. Tampoco lo hizo Mo.

Y esta vez, cuando sus amigos chillaron su nombre, lo escuchó alto y muy claro.

GO, MO, GO!
¡MO! ¡MO! ¡MO!

Author's Note

I was born and raised in India. I have watched peacocks in farmlands all through my childhood, sometimes perched on the rooftops, sometimes prancing in the backyards, and at times dancing in the rains. I have also heard their loud screeches and collected their beautiful feathers. White peacocks are much rarer, and I have always wondered about their unique and alluring beauty. The story of Mo is inspired by happy memories of watching peacocks as a child. I am proud to share this tale that introduces readers to a national symbol of the country of my birth.

Nota de la autora

Nací y me crié en India. A lo largo de mi niñez, observé pavos reales en granjas, a veces posados sobre techos, otras brincando por los jardines, y otras más, bailando en la lluvia. También oí sus fuertes chillidos y recogí sus hermosas plumas. Los pavos reales blancos son escasos y siempre me ha fascinado su singular y encantadora belleza. La historia de Mo fue inspirada por mis memorias felices de los pavos reales que observaba durante mi niñez. Me siento muy orgullosa de compartir este cuento que presenta a los lectores un símbolo nacional de mi país de nacimiento.

Fun Facts About Peacocks

Did you know that the general name for the species we refer to as peacocks is actually "peafowl"? A peafowl family is made up of a peacock (the male), a peahen (the female), and numerous little peachicks (the babies). There are three types of peafowl in the world—Indian, green, and Congo—though Indian peafowl are the most common.

In peafowl, it is the male who has majestic tail feathers. These tail feathers make up 60 percent of a peacock's entire body length. They are mostly used to show off and attract a peahen.

Datos curiosos sobre los pavos reales

Las familias de pavos reales están compuestas de un macho, una hembra y varios pollitos. Existen tres tipos de pavos reales en el mundo: el pavo real de la India, el pavo real verde y el pavo real africano del Congo. El pavo real de la India es el más común.

Los pavos reales con las majestuosas colas son los machos. Su plumaje abarca el sesenta porciento del largo de su cuerpo. Lo utilizan principalmente para resaltar y atraer a las hembras.

Sometimes, when the cells of a peacock don't produce enough melanin and other types of pigmentation responsible for color, then a peacock is white. His condition is called leucism. But a leucistic peacock is different from an albino peacock, who has an absence of melanin.

Peacocks live mostly on farmlands and in forests in warm regions. Since they live on land, they mainly feed on fruits, flowers, and seeds. But their favorite foods are ants, ticks, and termites.

Did you know that a group of peacocks is called a "party"? If you ever go near a party of peacocks, be careful. As much as these birds are social and like people, they can get aggressive and peck and scratch. They mostly do this as an act of self-defense.

When a peacock calls, it sounds like a scream or a screech. It is high-pitched and loud, especially during the monsoon season. In India, people believe that peacocks can predict the rain, and they call out and dance to welcome the monsoon season.

The Hindus also consider peacock feathers to bring good luck and prosperity. While one of the Hindu gods, Lord Krishna, is believed to wear a peacock feather in his crown, another one, Lord Kartikeya, is believed to ride on a peacock. Similarly, many other cultures around the world give great importance to peacocks and their feathers.

A veces, cuando las células de un pavo real no producen suficiente melanina y otros tipos de pigmentación, nacen completamente blancos. Esta condición se llama leucismo. Un pavo real leucístico es diferente a un pavo real albino, el cual se caracteriza por la ausencia de melanina.

Los pavos reales viven mayormente en granjas y bosques en zonas cálidas. Como viven sobre la tierra, se alimentan principalmente de frutas, flores y semillas. Pero su comida favorita son las hormigas, las garrapatas y las termitas.

¿Sabías que un grupo de pavos reales se llama una "reunión"? Si alguna vez decides aproximarte a una reunión de pavos reales, ten cuidado. A pesar de que son aves sociales y les agradan las personas, pueden ponerse agresivos y hasta picotear y rasguñar. Usualmente sólo lo hacen para defenderse.

Cuando un pavo real canta, suena como un grito o un chillido. Emiten un sonido fuerte y agudo, sobre todo durante la temporada de monzones. En India, la gente cree que los pavos reales pueden anunciar la lluvia, y cantan y bailan para darle la bienvenida a la temporada de monzones.

Los hindúes consideran las plumas de pavo real como amuleto de buena suerte y prosperidad. Se cree que uno de los dioses hindúes, Krishna, lleva una pluma de pavo real en su corona, y que otro dios, Kartikeya, monta un pavo real. Hay varias otras culturas del mundo que también le dan gran importancia a los pavos reales y a sus plumas.